Bierce • Poe • Bécquer
Sheridan Le Fanu • Hawthorne

CLÁSICOS de Misterio

Colección **CLÁSICOS JUVENILES**

Editorial SIGMAR

Colección Clásicos Juveniles
Coordinación: Olga Colella

Títulos Publicados

Cuentos de la Selva • Horacio Quiroga
El Fantasma de Canterville y otros cuentos • Oscar Wilde
Clásicos de Amor • Antología
Clásicos de Misterio • Antología
Clásicos de Terror • Antología

De próxima aparición
Clásicos Policiales

El hombre y la víbora

• I •

Se sabe desde hace mucho tiempo, y ningún hombre sensato y culto podrá negarlo, que los ojos de la serpiente tienen poderes magnéticos. Aquellos que enfrentan su mirada se sienten arrastrados hacia ella, aun contra su voluntad, hasta que por fin sucumben lastimosamente a su fatal mordedura.

En bata y pantuflas, cómodamente recostado en un sillón, Harker Brayton sonrió al leer la frase anteriormente citada en las *Maravillas de la ciencia*, de Morryster. "La única maravilla -se dijo a sí mismo- es que los hombres sensatos y cultos del tiempo de Morryster hayan creído en semejante pavada, que hoy rechazaría hasta el ser más ignorante".

Brayton era un hombre reflexivo, por eso pensó esto; y después de hacerlo, bajó inconscientemente el libro, sin cambiar la dirección de su mirada. Ni bien bajó el libro, que se interponía entre sus ojos y un rincón oscuro de la habitación, algo le llamó la atención. En la sombra, debajo de la cama, vio dos puntitos luminosos, a escasa distancia uno del otro. Tal vez fuera el reflejo del mechero de gas que estaba por encima de él, sobre las cabezas de dos clavos de metal. No hizo caso y continuó leyendo. Después de un instante, guiado por algún impulso que no se detuvo a analizar, volvió a bajar el libro en busca de lo que había visto antes. Los puntos de luz seguían allí, más brillantes, con un resplandor verdoso que antes no había visto. Podía ser, también, que se hubieran movido; parecía como si estuvieran un poco más cerca... aunque la sombra, todavía muy densa, no le permitía captar su naturaleza, ya que, en realidad, no prestaba demasiada atención; así que Brayton siguió leyendo. Pero de pronto, algo en la lectura le sugirió una idea que lo hizo sobresaltar. Bajó por tercera vez el libro y lo apoyó en el borde del sofá. Entonces el libro se soltó de su mano y fue a dar al suelo, con la contratapa hacia arriba. Incorporado a medias, Brayton examinaba la sombra acumulada debajo de la cama, allí donde brillaban los puntos de luz con crecido fulgor. Ahora, su atención estaba totalmente despierta; su mirada era ansiosa e imperativa. Casi justo a los pies de la cama, descubrió los anillos de una gruesa serpiente: ¡aquellos puntos de luz eran sus ojos! Por delante de los anillos escondidos, se erguía la horrible cabeza reposando, chata y horizontal, en la vuelta más alta de la espiral. La cabeza apuntaba hacia él. La mandíbula, ancha y brutal, y la estúpida frente señalaban la dirección de su perversa mirada. Ahora los ojos no eran solamente dos puntos de luz. Se habían clavado en los suyos con una intención, una malvada intención.

• II •

Encontrar una víbora en la habitación de una casa de ciudad -una lujosa casa de una ciudad moderna- afortunadamente no es un hecho tan común, y desde luego requiere una explicación. Harker Brayton, un hombre de treinta y cinco años, soltero, estudioso, sin necesidad de trabajar, algo aficionado a los deportes, rico, sano, simpático, había regresado a San Francisco después de un largo viaje por países lejanos y exóticos. Como sus gustos, que siempre fueron bastante refinados, se habían resentido con tantos meses de forzada austeridad, y ni siquiera el Castle Hotel de San Francisco podía satisfacerlos, aceptó de buena gana la hospitalidad de su amigo el doctor Druring, distinguido hombre de ciencia.

La casa del doctor Druring, grande y antigua, en lo que ahora era un suburbio modesto de la ciudad, aparentaba una orgullosa discreción. No se la podía asociar con las demás casas del barrio, en la actualidad tan venido a menos, y daba la impresión de haber adquirido alguna de aquellas excentricidades que se desarrollan con el aislamiento. Entre otras, una construcción sin ningún equilibrio arquitectónico con el resto del edificio; y además, sin ninguna relación con él en cuanto a sus propósitos, porque era una combinación de laboratorio, jardín zoológico y museo.

En ese lugar, el doctor se explayaba en su vocación científica y estudiaba las formas de la vida animal que más le interesaban y que más le gustaban -y estos intereses y gustos, hay que decirlo, tenían preferencia por las especies más inferiores. Para que al doctor le cayeran en gracia, los animales tenían que conservar, por lo menos, algunas características rudimentarias que los vincularan a los "dragones de la prehistoria". Tal era el caso de los sapos y las víboras. Sin ninguna duda, las simpatías científicas del doctor estaban dirigidas al orden de los reptiles. Adoraba las especies más bajas de la naturaleza y se definía a sí mismo como el Zola(1) de la Historia Natural.

Su mujer y sus hijas, que no compartían tan especial curiosidad por los trabajos y costumbres de dichas especies, eran excluidas con severidad, e innecesariamente, del llamado serpentario y condenadas a la compañía de sus semejantes. De todos modos, el doctor, hombre de gran fortuna, atenuaba los rigores de su suerte permitiéndoles sobrepasar a los reptiles en la grandiosidad de su casa y brillar en ella con mayor esplendor.

Arquitectónicamente, y en cuanto a mobiliario, el serpentario era de una austera sencillez, estando en un todo de acuerdo con la humilde condición de sus ocupantes, a muchos de los cuales no se les podía conceder, sin correr riesgos, la libertad necesaria para el pleno goce del lujo porque tenían el rasgo peculiar, y además bastante incómodo, de estar vivos. De todos modos, en el serpentario no se los sometía a ninguna sujeción, salvo las mínimas indispensables que los protegían contra la funesta costumbre de engullirse unos a otros. Y era bastante común -a Brayton se lo advirtieron debidamente- que algunos apa-

---

(1) Émile Zola: novelista francés (1840-1902). Fue el fundador del movimiento literario conocido como "naturalismo", cuya característica es la cruda descripción realista de la sociedad.

recieran en lugares donde hubiera sido difícil explicar su presencia. Y eso había ocurrido más de una vez.

Pero a pesar del serpentario y de sus perturbadoras asociaciones (a las cuales, a decir verdad, prestó poca atención), Brayton se encontraba sumamente a gusto en la mansión de los Druring.

• III •

Además de una fuerte sorpresa y de un estremecimiento de asco, a Brayton no lo conmovió demasiado lo que había visto. Su primer impulso fue llamar para que apareciera algún sirviente: tenía el cordón de la campanilla al alcance de la mano. Pero no hizo el menor movimiento. Un acto como ése haría que se dudara de su hombría. Y él no tenía miedo. Más que afectado por los peligros de tal situación, tenía una total conciencia de su carácter absurdo. Era indignante, pero ridícula.

Brayton no estaba para nada familiarizado con esta clase de reptiles. Sólo podía conjeturar su longitud; el cuerpo, en la parte más visible, tenía casi el grosor de un brazo. ¿De qué manera sería peligrosa, en caso de que lo fuera? ¿Sería venenosa? ¿O tal vez, constrictora? No podía decirlo. Desconocía las señales que indican los peligros de la naturaleza. Nunca había descifrado ese código.

Aunque no fuera peligrosa, aquella criatura era por lo menos desagradable. Estaba de trop, "fuera de lugar". Era una impertinencia, una gema indigna de su engarce. Esa manifestación de vida bestial, propia de la selva, desentonaba con la casa, pese al gusto bárbaro de nuestra época y de nuestro país por llenar las paredes de cuadros, el piso de muebles y los muebles de adornos. Y por otro lado -¡qué idea insoportable!- las emanaciones de su aliento envenenaban el aire que él estaba respirando.

Estos pensamientos empezaron a dibujarse con mayor o menor nitidez en la mente de Brayton y lo hicieron actuar. Este proceso es lo que llamamos consideración de circunstancias y decisión. Y debido a su causa, obramos con juicio o estúpidamente. Y debido también a su causa, la hoja marchita en la brisa del otoño demuestra mayor o menor inteligencia que sus compañeras, cayendo en la tierra o en el lago. El secreto de las acciones humanas es un secreto a voces: algo contrae nuestros músculos. ¿Tiene alguna importancia, entonces, que a los cambios preparatorios de las moléculas les demos el nombre de voluntad?

Brayton se levantó, preparándose para retirarse discretamente de la víbora, de ser posible sin molestarla, y salir por la puerta. Así se apartan los hombres en presencia de los grandes, porque la grandeza es poder, y el poder es amenaza. Estaba seguro de poder retroceder sin tropezarse. En caso de que el monstruo lo siguiera, aquel gusto que había cubierto de pinturas las paredes, había incluido también una panoplia de sanguinarias armas orientales: de allí podría arrancar la que más le conviniera, si fuera necesario. Mientras tanto, los ojos de la víbora ardían más perversos e implacables que nunca.

Brayton alzó el pie derecho para retroceder. Pero en ese momento tuvo vergüenza de sí mismo.

"Me consideran valiente" -pensó-. "¿Pero acaso el valor es solamente orgullo? ¿Porque no hay nadie que me vea no tendré vergüenza de retroceder?"

Apoyando la mano derecha en el respaldo de una silla y con el pie derecho en el aire, refrenó su impulso.

-¡Absurdo! -exclamó en voz alta-. No soy tan cobarde como para tener miedo de verme cobarde ante mis propios ojos.

Alzó un poco más el pie, doblando ligeramente la rodilla, y lo plantó con decisión en el piso, apenas un poco más adelante del otro. No supo cómo lo hizo. Un intento con el pie izquierdo dio el mismo resultado: otra vez le llevaba la delantera al derecho. La mano aferraba el respaldo de la silla; el brazo, tenso, como tratando de alcanzar alguna cosa que estuviera ubicada a sus espaldas. Bien podría decirse que se resistía a perder su apoyo. La cabeza maligna de la serpiente continuaba en la misma posición, erguida sobre las vueltas centrales del rollo que formaba. Pero sus ojos lanzaban electricidad en infinitas agujas luminosas.

Brayton tenía el semblante del color de la ceniza. Avanzó un paso en vez de retroceder, y luego otro, casi arrastrando la silla, que finalmente se cayó al suelo con gran estrépito. El hombre lanzó un quejido. La víbora, inmóvil, silenciosa, no emitió sonido alguno, pero sus ojos eran dos soles enceguecedores. Toda ella parecía estar oculta detrás de esos ojos que emitían ondas concéntricas de ricos y vivos colores, las cuales al crecer y hacerse cada vez más amplias, se esfumaban en el aire como pompas de jabón. Parecía que se acercaban a su propia cara, y de pronto estaban a una distancia incalculable. En alguna parte se oía el repetido golpear de un gran tambor, con súbitas irrupciones de una música lejana, inconcebiblemente dulce, como las notas de un arpa. En aquella música reconocía el canto del sol naciente en la estatua de Memnón(1), y pensó que estaba junto al Nilo, entre sus juncos, escuchando con arrebato ese himno inmortal que llegaba desde el silencio de los siglos.

Cesó la música. Poco a poco, de manera apenas perceptible, se fue transformando en el lejano retumbar de una tormenta que se aleja. Sus ojos vieron un paisaje brillante por el sol y la lluvia, con un deslumbrante arco iris que en su curva gigantesca enmarcaba un centenar de nítidas ciudades. En segundo plano, una enorme serpiente que ostentaba una corona alzó la cabeza de sus gruesos anillos y lo miró con los ojos de su madre muerta. De pronto, este paisaje encantador pareció elevarse rápidamente, como el último telón de un teatro, y desapareció en el vacío. Algo lo golpeó con violencia en la cara y en el pecho. Se había caído al suelo. Le manaba sangre de la nariz rota y de los labios lastimados. Por un momento quedó aturdido, con los ojos cerrados y la cara contra el suelo. Poco después volvió en sí, y entonces comprendió que su caída, al obligarlo a desviar la vista, había roto el hechizo que lo cautivaba. Comprendió que ahora, si mantenía apartados los ojos, podría retroceder. Pero la

---

(1) En la mitología griega, hijo de Aurora y Titón, rey de Etiopía. Su celebridad se debe a que se lo creyó representado en uno de los colosos de Tebas, en Egipto. Según la leyenda, cuando la estatua (coloso) era iluminada por el sol, dejaba oír sonidos muy armoniosos.

sola idea de la serpiente, que estaba ahí nomás, a unos pocos pasos de su cabeza -a pesar de que no la veía- y quizás preparándose para saltar sobre él y enroscársele al cuello, era demasiado horrible. Alzó la cabeza, de nuevo clavó los ojos en esos ojos malignos, y de nuevo cayó bajo el hechizo.

La víbora continuaba inmóvil, y podría haberse dicho que de algún modo ya no tenía poder sobre su imaginación. No se repetían ya las espléndidas imágenes de unos momentos antes. Bajo aquella frente chata y estúpida, los negros ojos se limitaban a resplandecer como al principio, con una expresión indeciblemente maligna. Era como si el animal, seguro de su triunfo, hubiera decidido no practicar ya su astucia hechicera.

Ahora viene una escena espantosa. El hombre, tirado en el suelo, muy cerca de su enemigo, levantó la parte superior del cuerpo apoyándose en los codos, la cabeza hacia atrás, las piernas completamente extendidas. Tenía manchas de sangre en su cara pálida; los ojos, desorbitados. De los labios le brotaban burbujas de espuma. Fuertes convulsiones sacudían todo su cuerpo, en ondulaciones de serpiente. Se dobló sobre el estómago, moviendo las piernas de lado a lado. Y cada movimiento lo aproximaba un poco más a la víbora. Estiraba las manos hacia adelante, como para detenerse, avanzando, sin embargo, constantemente sobre los codos.

• IV •

El doctor Druring y su esposa estaban sentados en la biblioteca. El doctor parecía de muy buen humor.

-Por intercambio con otro coleccionista -dijo-, acabo de obtener un espléndido ejemplar de la *ophiophagus*.

-¿Qué es eso? -preguntó la mujer sin evidenciar demasiado interés.

-¡Oh! ¡Dios mío, que ignorancia tan profunda! Querida, un hombre que después de casarse comprueba que su mujer no sabe griego, tiene todo el derecho a pedir el divorcio. La *ophiophagus* es una víbora que se come a las otras víboras.

-Espero que se coma a todas las tuyas -dijo ella distraídamente, mientras ajustaba la pantalla de una lámpara-. Pero, ¿cómo hace para comérselas? Supongo que las debe encantar.

-Eso es tan tuyo, querida -dijo el doctor, algo petulante-. Sabes hasta qué punto me fastidia cualquier alusión a la vulgar creencia de la gente en el poder de fascinación de las víboras.

Los interrumpió un alarido poderoso que recorrió el silencio de la casa como la voz de un demonio que grita en una tumba. Volvió a oírse una y otra vez, tremendamente claro. Ambos saltaron de sus asientos, el hombre, turbado; la mujer, muda de terror. Poco antes de que se hubieran apagado los ecos del último grito, el doctor ya estaba fuera del cuarto y subía las escaleras de dos en dos. Frente al dormitorio de Brayton, encontró en el corredor a algunos sirvientes que habían acudido del último piso. Todos juntos se lanzaron sobre la puerta, que estaba cerrada sin llave. Brayton yacía boca abajo en el piso, muerto, con la cabeza y los brazos debajo de la cama. Arrastraron el cuerpo y lo volvieron de espaldas. Tenía el rostro manchado de sangre y de espumarajos, y los ojos, fuera de las órbitas, miraban fijamente.

-Ha muerto de un síncope -dijo el doctor Druring, después de arrodillarse junto al cadáver y ponerle una mano sobre el corazón. Y mientras todavía se encontraba en esa posición, miró sin querer por debajo de la cama-. ¡Oh! ¡Dios Santo! -agregó-. ¿Cómo habrá podido llegar hasta aquí?

Estiró el brazo por debajo de la cama, sacó la víbora y la arrojó, todavía enroscada, al centro de la habitación. Con un ruido áspero y susurrante, el animal resbaló por el piso encerado hasta chocar con la pared, junto a la cual quedó inmóvil. Era una víbora embalsamada. Y tenía por ojos dos botones de zapato.

— Sheridan Le Fanu —

Narración sobre el fantasma de una mano

Estoy seguro de que la vieja Sally creía hasta la última palabra de lo que decía, porque era muy sincera. Pero esas palabras tenían el mismo valor que por lo general suele darse a las habladurías de esa índole -todos los relatos prodigiosos y fábulas que nuestros antepasados llaman "cuentos de invierno"- en los que cada narrador va agregando detalles por cuenta propia, haciendo más largo el desarrollo de la anécdota. De todos modos, no por nada se decía que la casa estaba embrujada. Detrás del humo se vislumbraba una tenue chispa de verdad, la constancia de un misterio, acerca de cuya develación tal vez algunos de mis lectores puedan acertar una teoría, aunque debo confesar que yo mismo no estoy en condiciones de hacer semejante cosa.

La señorita Rebecca Chattesworth, en una carta fechada a fines del otoño de 1753, nos brinda una detallada y singular exposición de ciertos sucesos que tuvieron lugar en la Casa de las Tejas. Resulta obvio, claro está, que aunque al principio se burla de ese tipo de tonterías, no puede negar que las ha escuchado con auténtico interés, y que luego las registra con una minuciosidad particularmente horrorosa.

Lo que yo opino es que habría que reproducir la carta íntegra que, para ser sincero, es tan insólita como sintomática. Pero mi editor no estuvo de acuerdo y creo que tenía sus razones. La carta de la venerable anciana es, quizá, demasiado extensa; por lo tanto, me tengo que conformar con unas pocas y breves anotaciones acerca de su contenido.

Ese año, alrededor del 24 de octubre, surgió un conflicto bastante peculiar entre el edil Harper, de High Street, Dublín, y lord Castlemallard quien, por estar emparentado con la madre del joven heredero, se había encargado de la administración de la pequeña propiedad en la que se levantaba la Casa de las Tejas.

El edil Harper había firmado un contrato para alquilar la casa a fin de que se mudara su hija, casada con un caballero de apellido Prosser. El edil hizo amueblar la casa, colocarle cortinados y, en fin, otras cosas para las cuales tuvo que hacer un considerable desembolso. El matrimonio Prosser se instaló en la casa en el mes de junio. Tiempo después se marcharon todos los sirvientes; entonces, la señora Prosser decidió que no era posible seguir viviendo en esa casa. Su padre fue a ver a lord Castlemallard y simplemente le informó que se negaba a seguir pagando el alquiler porque la Casa de las Tejas tenía ciertos trastornos que no podía explicar. Él dijo muy claramente que la casa estaba embrujada y que, después de unas pocas semanas, ningún sirviente quiso seguir trabajando allí. Además, teniendo en cuenta lo que había sufrido la familia de su yerno, no sólo había que anular el contrato, sino que, también, iba a ser necesario demoler la casa, ya que, sin duda, era refugio de algo mucho peor que criminales humanos.

Lord Castlemallard inició una querella por vía judicial solicitando que se obligara al edil Harper a cumplir el contrato y a pagar el alquiler. Pero el edil Harper presentó una refutación cuya base de sustento eran no menos de siete extensos testimonios con copias entregadas a lord Castlemallard. De este modo, se consiguió el resultado que se esperaba, pues en vez de que se incorporaran esos testimonios al legajo del tribunal, su señoría desistió de la demanda y anuló el contrato de alquiler.

Es una lástima que el litigio no continuara, aunque más no fuera hasta que se incluyera en los archivos judiciales la verdadera e increíble historia que cuenta la señorita Rebecca Chattesworth.

Los trastornos de los cuales se habla no comenzaron sino hasta fines de agosto; un atardecer, la señora Prosser estaba completamente sola, sentada a la luz del crepúsculo en la salita de atrás, junto a la ventana abierta que daba a la huerta, cuando vio con absoluta claridad una mano que se apoyaba con firmeza en el borde de la pared de piedra, debajo de la ventana, como si alguien intentara subir. No había nada con excepción de la mano; una mano más bien corta aunque de bella forma, blanca y carnosa, apoyada en el borde de la pared; no era una mano joven, la señora Prosser calculó que su dueño tendría unos cuarenta años. Unas pocas semanas antes había habido un gran asalto en Clondalkin y la señora imaginó que la mano pertenecía a uno de los malhechores, que en ese momento estaba intentando escalar las ventanas de la Casa de las Tejas. La mujer gritó horrorizada y entonces la mano se retiró rápidamente.

Se realizaron búsquedas en la huerta, sin que se encontraran signos de que alguien se hubiese aproximado siquiera a la ventana, debajo de la cual, y en línea junto a la pared, había una larga hilera de macetas que impedían alcanzar la ventana. Esa misma noche se oyó, con algunos intervalos, un rápido golpeteo en la ventana de la cocina. Las mucamas se aterrorizaron; después de conseguir un arma de fuego, el criado abrió la puerta trasera, pero no encontró nada. No obstante, cuando la cerró, "alguien dio un puñetazo", dijo, y sintió una presión como si una persona estuviera haciendo fuerza para introducirse; eso lo aterrorizó y, aunque el golpeteo prosiguió en los vidrios de la ventana, no siguió investigando.

El sábado siguiente, más o menos a eso de las seis de la tarde, la cocinera, "una mujer honesta y sobria, de unos sesenta años", estaba sola en la cocina; levantó la vista y vio, según se supone, la misma mano carnosa, pero aristocrática, apoyada con la palma contra el vidrio, cerca del borde de la ventana. Se movía muy despacio, de arriba hacia abajo, siempre apoyada contra el vidrio, palpándolo cuidadosamente, como si quisiera encontrar alguna irregularidad en su superficie. Sólo con ver la mano, la pobre cocinera lanzó un grito y empezó a murmurar algo parecido a una plegaria. Pero la mano no se retiró sino hasta varios segundos después.

Posteriormente, muchas noches se escuchó un golpeteo, primero lento y después rápido, en la puerta trasera, provocado, al parecer, por los nudillos de una mano. El criado no estaba dispuesto a abrir y simplemente se limitó a preguntar quién llamaba; jamás obtuvo respuesta, sólo llegó a percibir un sonido como si alguien colocara la palma de la mano sobre la puerta y la deslizara con lentitud de un lado a otro, imprimiéndole un movimiento suave y de lento tanteo.

Durante ese lapso, el señor y la señora Prosser, instalados en la salita de atrás -que por el momento hacía también de salón- fueron perturbados por golpeteos en la ventana, a veces muy espaciados, como si se tratara de una señal clandestina, y otras veces repentinos y tan violentos que parecía que se iban a quebrar los vidrios.

Esto ocurría en la parte posterior de la casa, que daba sobre la huerta, como ya se ha dicho anteriormente. Pero un martes por la noche, más o menos alrededor de las nueve y media, el mismo golpeteo se oyó en la puerta de entrada y prosiguió, a intervalos y por espacio de casi dos horas, para gran molestia del dueño de casa y terror de su esposa.

Luego, durante varios días y noches no hubo ningún trastorno. Entonces, todos en la casa empezaron a suponer que las perturbaciones habían desaparecido. Sin embargo, la noche del 13 de setiembre, Jane Easterbrook, una criada inglesa, fue a la despensa a buscar un recipiente de plata para su ama y por azar levantó la vista hacia una ventanita de cuatro vidrios: en el orificio del marco por donde pasaba el pestillo se introducía un dedo blanco y carnoso... Primero apareció la punta, después las dos siguientes falanges... Giraba hacia un lado y hacia otro, se curvaba para adentro como buscando un cerrojo que se deseara destrabar. Se dijo que, al regresar a la cocina, la criada "sufrió un ataque y que todo el día siguiente estuvo muy mal".

Como el señor Prosser era, de acuerdo con los informes con los que cuento, un individuo obstinado y orgulloso, se burló del fantasma y también de los temores que sentía la gente de su casa. En su interior había resuelto que se trataba de una broma pesada o de un fraude y se mantenía al acecho esperando la oportunidad de sorprender al culpable en flagrante delito. No obstante, no se guardó mucho tiempo para sí mismo esta teoría, sino que de a poco empezó a difundirla, sin escatimar juramentos y amenazas, porque creía que algún criado traidor manejaba los hilos de la conspiración.

A decir verdad, había llegado el momento de actuar, pues no sólo los sirvientes sino también la bondadosa señora Prosser comenzaban a exhibir un aire de desdicha y ansiedad. Se encerraban desde que se ponía el sol, sin atreverse a circular por la casa después de anochecer, a menos de estar acompañados por otra persona.

El golpeteo cesó por espacio de aproximadamente una semana; sin embargo, una noche, mientras la señora Prosser se encontraba en el cuarto de los niños, su marido, que estaba en la salita, oyó nuevamente los golpes. Eran unos golpes muy suaves en la puerta principal. El aire estaba sumamente sereno y por eso era posible oír todo con mucha nitidez. Era la primera vez que tal anormalidad se producía en ese lado de la casa; además, la naturaleza del golpeteo había cambiado.

El señor Prosser dejó abierta, según parece, la puerta de la salita y se introdujo en el vestíbulo sin hacer ruido. El sonido era producido por golpes dados en el exterior de la maciza puerta, siempre con mucha calma y regularmente, "golpes dados con la palma de la mano". El dueño de casa estuvo a punto de abrir la puerta bruscamente, pero cambió de idea; retrocedió en silencio y fue hasta la escalera de la cocina, junto a la cual había un armario en el que se guardaban sus armas de fuego, espadas y bastones.

A continuación llamó a su criado, al cual le tenía plena confianza; puso un par de pistolas cargadas en sus propios bolsillos y además le entregó otro par al sirviente; después, empuñando un recio bastón y seguido por su acompañante, avanzó hacia la puerta lo más silenciosamente que pudo.

Todo sucedió de la forma que esperaba el señor Prosser. Quien asediaba su casa, lejos de asustarse por la aproximación de los dos hombres, se volvió todavía más impaciente; el golpeteo que al principio había suscitado su atención adquirió el ritmo y el énfasis de un redoble.

Sumamente enojado y con el brazo derecho levantado y el bastón en la mano, el señor Prosser abrió la puerta. Miró hacia un lado y otro, pero no vio nada; no obstante, sintió que le alzaban el brazo en forma extraña, como si lo empujaran con la palma de una mano; tuvo la impresión de que algo le pasaba por debajo, con una especie de suave presión. El criado no vio ni sintió nada; y tampoco entendió por qué su amo miraba hacia atrás tan presurosamente, dando golpes en el aire con el bastón, para luego cerrar la puerta de un modo tan brusco.

A partir de entonces, el señor Prosser dejó de proferir exclamaciones de enojo y juramentos cada vez que se mencionaba el asunto, y además, según lo confirmaron su propia esposa y los sirvientes, empezó a mostrarse tan reticente sobre el caso como el resto de los moradores de su casa. En verdad, comenzó a sentirse muy incómodo e intuyó que, al abrir la puerta principal en respuesta a los insistentes llamados, de hecho había permitido que entrara quien asediaba su domicilio.

No le dijo nada a su esposa y se retiró temprano al dormitorio, "donde resolvió leer un rato su Biblia y rezar unas oraciones". Creo que la mención especial de esta circunstancia no basta para poner de relieve la singularidad de lo sucedido. Al parecer, el señor Prosser se mantuvo despierto durante bastante tiempo; alrededor de las doce y cuarto, según supuso, escuchó cómo la palma de una mano golpeaba con suavidad en la parte exterior de su puerta y luego se deslizaba lentamente sobre ella.

Se levantó de un salto, muy aterrorizado, y cerró la puerta con llave, gritando:

-¿Quién es?

Pero no obtuvo ninguna respuesta, con excepción del mismo sonido de una mano que se deslizaba sobre los paneles; era algo que el señor Prosser conocía demasiado bien.

A la mañana siguiente, la criada se horrorizó al descubrir la huella de una mano en el polvo que se había acumulado sobre la mesa de la salita donde, el día anterior, habían estado desempacando loza y otros objetos. La huella del pie desnudo en la playa no aterrorizó tanto a Robinson Crusoe. En ese momento ya todos estaban muy nerviosos, algunos casi enloquecidos, con el asunto de la mano.

El señor Prosser examinó la marca y le quitó importancia, pero tal como informó posteriormente bajo juramento, lo hizo más bien para tranquilizar a sus sirvientes y no porque él tuviera el ánimo tranquilo; sea como fuere, dispuso que, uno a uno, los criados entraran en la habitación y colocaran la mano con la palma hacia abajo, sobre la misma mesa; así obtuvo la huella de cada una de las personas que estaban en la casa, incluidos su esposa y él mismo. En su "declaración" atestiguó que la estructura de la mano impresa en la mesa difería por completo de las huellas dejadas por los habitantes de su casa, y correspondía a la mano vista por la señora Prosser y por la cocinera.

Fuera quien fuese -o lo que fuere- el propietario de esa mano, todos se dieron cuenta de que esa sutil demostración era una prueba de que ya no estaba en el exterior sino que se había instalado dentro de la casa.

Desde ese momento la señora Prosser empezó a ser atormentada por sueños sumamente extraños, algunos de los cuales, detallados en la extensa carta de la tía Rebecca, son verdaderas pesadillas escalofriantes. Una noche, cuando el señor Prosser cerró la puerta del dormitorio, se sorprendió por el absoluto silencio que reinaba en la habitación; no se advertía ningún sonido de respiración, lo que resultaba inexplicable porque sabía que su esposa estaba acostada, y los oídos del dueño de casa eran peculiarmente finos.

En una mesita ubicada a los pies de la cama ardía una vela y él mismo llevaba otra en la mano; debajo del brazo sostenía un pesado libro de contabilidad, relacionado con los negocios de su suegro. Corrió las cortinas del lecho y vio a la señora Prosser que yacía allí, muerta, según temió durante unos terribles segundos; tenía el rostro inmóvil, blanco, totalmente cubierto de un sudor frío; sobre la almohada, casi rozando la cabeza y exactamente junto a las cortinas, había, según le pareció al principio, un sapo... en realidad, era la misma mano carnosa, con la muñeca apoyada sobre la almohada y los dedos extendidos hacia la sien de la señora Prosser.

Con un sobresalto de terror, arrojó el libro de contabilidad a las cortinas, detrás de las cuales podía suponerse estaba el propietario de la mano. Con un rápido movimiento, la mano se retiró de inmediato; las cortinas ondularon profundamente y el señor Prosser dio vuelta alrededor del lecho, justo a tiempo para ver que la puerta del cuarto de vestir, que estaba del otro lado, era cerrada, según le pareció, por la misma mano blanca y carnosa.

Abrió la puerta violentamente y examinó el interior: el cuarto de vestir estaba vacío, con excepción de las prendas colgadas de las perchas, del tocador y del espejo ubicados frente a la ventana. Cerró la puerta bruscamente, echó el cerrojo y durante un minuto sintió, según ha dicho, "que estaba a punto de perder el juicio"; luego hizo sonar la campanilla y llamó a los servidores; con grandes esfuerzos lograron que la señora Prosser se recobrara de una especie de "trance", en el cual, a juzgar por el aspecto que tenía -según él mismo afirma- sufrió "las angustias de la muerte". La tía Rebecca añade: "por lo que ella me ha contado de propia boca sobre sus visiones, su marido podría haber agregado también que, asimismo, padeció las angustias del infierno".

Se diría que el episodio que precipitó el desenlace fue la extraña enfermedad del hijo mayor del matrimonio, un niño que tenía entre dos y tres años de edad. Yacía despierto, aparentemente presa de paroxismos de terror, y los médicos a quienes se había consultado diagnosticaban que ésos eran los síntomas de una incipiente encefalitis. La señora Prosser, en compañía de una niñera, solía instalarse junto a la chimenea del cuarto de los niños, muy angustiada por la salud de su hijo.

La cama estaba situada junto a la pared, con la cabecera contra un armario, cuya puerta no cerraba bien. Alrededor de la cama había un pequeño dosel que descendía casi hasta la almohada en la que reposaba la criatura.

Ambas mujeres comprobaron que el niño estaba más tranquilo cuando lo levantaban de la cama y lo mecían en sus faldas. En una ocasión en que parecía estar apaciblemente dormido, volvieron a acostarlo en la cama, pero luego de unos minutos empezó a gritar víctima de uno de sus ataques de terror; en el mismo instante, por primera vez, la niñera descubrió -y también la señora Prosser lo vio claramente al seguir la dirección de su mirada- el motivo real de los sufrimientos de la criatura.

Saliendo de la abertura del armario y amparada por la sombra del dosel, ambas vieron con absoluta claridad la mano blanca y carnosa, con la palma hacia abajo, apuntando la cabeza del niño. La madre soltó un grito y sacó a la criatura de su camita; las dos mujeres salieron corriendo hacia el dormitorio de la dueña de casa -donde ya se había acostado el señor Prosser- entraron y cerraron la puerta; apenas lo habían hecho cuando escucharon que en la parte exterior resonaba un suave golpeteo.

Hay mucho más para contar, pero baste con lo dicho hasta aquí. Según creo, la nota singular de la narración consiste en que describe el fantasma de una mano y nada más. Nunca jamás apareció, la persona a quien había pertenecido; tampoco era una mano separada de un cuerpo, sino sólo una mano que se manifestaba e introducía con tan hábil artificio, que su dueño siempre quedaba oculto a la vista.

En 1819, en un almuerzo en la Universidad, conocí a un tal señor Prosser, era un anciano caballero, delgado, serio, pero un tanto charlatán; de cabello muy blanco, recogido en una coleta. Nos narró con lujo de detalles una historia sobre su primo, James Prosser, quien en su infancia había dormido, durante algún tiempo, en una habitación que, según su madre, estaba embrujada, y que formaba parte de una vieja casa ubicada cerca de Chapelizod. Durante toda su vida y desde una época que apenas podía recordar, cada vez que se enfermaba, o se sentía rendido de cansancio, o tenía fiebre, se le presentaba la visión de cierto caballero gordo y pálido; de él tenía grabados en la memoria cada rizo de su peluca, cada uno de los botones y pliegues de su traje adornado con encajes y cada rasgo o arruga de su rostro sensual; los tenía tan bien grabados como el atuendo y las facciones del retrato de su propio abuelo, que veía colgado delante de él todos los días, a la hora del desayuno, el almuerzo y la cena. El señor Prosser se refirió a esto como a una especie de pesadilla curiosamente monótona, individualizada y persistente y habló del horror y la ansiedad con que su primo -a quien siempre se refería en tiempo pasado llamándolo "pobre Jaimito"- lo mencionaba, cada vez que surgía el tema.

Confío en que el lector me disculpará por haber hablado tanto sobre la Casa de las Tejas, pero este tipo de historias siempre me ha encantado y ya se sabe que la gente, en especial la de cierta edad, suele hablar de lo que más le interesa, olvidando demasiado a menudo el hecho de que los demás tal vez no tengan ganas de escuchar sobre el asunto.

— Gustavo Adolfo Bécquer —

El monte de las ánimas

(Leyenda soriana(1))

La noche de Difuntos, me despertó a no sé qué hora el doble de las campanas. Su tañido monótono y eterno me trajo a las mientes esta tradición que oí ha poco en Soria.

Intenté dormir de nuevo. ¡Imposible! Una vez aguijoneada, la imaginación es un caballo que se desboca y al que no sirve tirarle de la rienda. Por pasar el rato, me decidí a escribirla, como en efecto lo hice.

A las doce de la mañana, después de almorzar bien, y con un cigarro en la boca, no les hará mucho efecto a los lectores de *El Contemporáneo.* Yo la oí en el mismo lugar en que acaeció, y la he escrito volviendo algunas veces la cabeza con miedo cuando sentía crujir los cristales de mi balcón, estremecidos por el aire frío de la noche.

Sea de ello lo que quiera, *allá va,* como el caballo de copas(2).

---

(1) De Soria: provincia del centro de España, perteneciente a la región de Castilla la Vieja.
(2) Se refiere a un lance del juego de naipes, en que se tira una carta, más o menos al azar, confiando en que el oponente tenga una de menor valor.

• I •

-Atad los perros, haced la señal con las trompas para que se reúnan los cazadores y demos la vuelta a la ciudad. La noche se acerca, es día de Todos los Santos y estamos en el Monte de las Ánimas.

-¡Tan pronto!

-A ser otro día, no dejara yo de concluir con ese rebaño de lobos que las nieves del Moncayo(1) han arrojado de sus madrigueras; pero hoy es imposible. Dentro de poco sonará la oración en los Templarios, y las ánimas de los difuntos comenzarán a tañer la campana en la capilla del monte.

-¡En esa capilla ruinosa! ¡Bah! ¿Quieres asustarme?

-No, hermosa prima. Tú ignoras cuanto sucede en este país, porque aún no hace un año que has venido a él desde muy lejos. Refrena tu yegua, yo también pondré la mía al paso, y mientras dure el camino te contaré la historia.

Los pajes se reunieron en alegres y bulliciosos grupos. Los condes de Borges y de Alcudiel montaron en sus magníficos caballos, y todos juntos siguieron a sus hijos Beatriz y Alonso, que precedían a la comitiva a bastante distancia.

Mientras duraba el camino, Alonso narró en estos términos la prometida historia:

-Ese monte que hoy llaman de las Ánimas pertenecía a los Templarios, cuyo convento ves allí, a la margen del río.

---

(1) Macizo de España, en las provincias de Soria y Zaragoza.

Los Templarios eran guerreros y religiosos a la vez. Conquistada Soria a los árabes, el rey los hizo venir de lejanas tierras para defender la ciudad por la parte del puente, haciendo en ello notable agravio a sus nobles de Castilla, que así hubieran solos sabido defenderla como solos la conquistaron. Entre los caballeros de la nueva y poderosa Orden y los hidalgos de la ciudad fermentó por algunos años, y estalló al fin, un odio profundo. Los primeros tenían acotado ese monte, donde reservaban caza abundante para satisfacer sus necesidades y contribuir a sus placeres. Los segundos determinaron organizar una gran batida en el coto, a pesar de las severas prohibiciones de los *clérigos con espuelas*, como llamaban a sus enemigos. Cundió la voz del reto, y nada fue parte a detener a los unos en su manía de cazar y a los otros en su empeño de estorbarlo. La proyectada expedición se llevó a cabo. No se acordaron de ella las fieras. Antes la tendrían presente tantas madres como arrastraron sendos lutos por sus hijos. Aquello no fue una cacería. Fue una batalla espantosa; el monte quedó sembrado de cadáveres. Los lobos, a quienes se quiso exterminar, tuvieron un sangriento festín. Por último, intervino la autoridad del rey: el monte, maldita ocasión de tantas desgracias, se declaró abandonando, y la capilla de los religiosos, situada en el mismo monte, y en cuyo atrio se enterraron juntos amigos y enemigos, comenzó a arruinarse. Desde entonces dicen que cuando llega la noche de Difuntos se oye doblar sola la campana de la capilla, y que las ánimas de los muertos, envueltas en jirones de sus sudarios, corren como en una cacería fantástica por entre las breñas y los zarzales. Los ciervos braman espantados, los lobos aúllan, las culebras dan horrorosos silbidos, y al otro día se han visto impresas en la nieve las huellas de los descarnados pies de los esqueletos. Por eso en Soria lo llamamos el Monte de las Ánimas, y por eso he querido salir de él antes que cierre la noche.

La relación de Alonso concluyó justamente cuando los dos jóvenes llegaban al extremo del puente que da paso a la ciudad por aquel lado. Allí esperaron al resto de la comitiva, la cual, después de incorporársele los dos jinetes, se perdió por entre las estrechas y oscuras calles de Soria.

• II •

Los servidores acababan de levantar los manteles; la alta chimenea gótica del palacio de los condes de Alcudiel despedía un vivo resplandor, iluminando algunos grupos de damas y caballeros que alrededor de la lumbre conversaban familiarmente, y el viento azotaba los emplomados vidrios de las ojivas(1) del salón.

Solas dos personas parecían ajenas a la conversación general: Beatriz y Alonso. Beatriz seguía con los ojos, y absorta en un vago pensamiento, los caprichos de la llama. Alonso miraba el reflejo de la hoguera chispear en las azules pupilas de Beatriz.

Ambos guardaban hacía rato un profundo silencio.

_____

(1) Se refiere a las ventanas de arco ojival, del estilo gótico. La ojiva es una figura formada por dos arcos cruzados en ángulo.

Las dueñas referían, a propósito de la noche de Difuntos, cuentos temerosos, en que los espectros y los aparecidos representaban el principal papel; y las campanas de las iglesias de Soria doblaban a lo lejos con un tañido monótono y triste.

-Hermosa prima -exclamó, al fin, Alonso, rompiendo el largo silencio en que se encontraban-, pronto vamos a separarnos, tal vez para siempre; las áridas llanuras de Castilla, sus costumbres toscas y guerreras, sus hábitos sencillos y patriarcales, sé que no te gustan; te he oído suspirar varias veces, acaso por algún galán de tu lejano señorío.

Beatriz hizo un gesto de fría indiferencia: todo un carácter de mujer se reveló en aquella desdeñosa contracción de sus delgados labios.

-Tal vez por la pompa de la Corte francesa, donde hasta aquí has vivido -se apresuró a añadir el joven-. De un modo o de otro, presiento que no tardaré en perderte... Al separarnos, quisiera que llevases una memoria mía... ¿Te acuerdas cuando fuimos al templo a dar gracias a Dios por haberte devuelto la salud que viniste a buscar a esta tierra? El joyel que sujetaba la pluma de mi gorra cautivó tu atención. ¡Qué hermoso estaría sujetando un velo sobre tu oscura cabellera! Ya ha prendido el de una desposada; mi padre se lo regaló a la que me dio el ser, y ella lo llevó al altar... ¿Lo quieres?

-No sé en el tuyo -contestó la hermosa-; pero en mi país una prenda recibida compromete la voluntad. Sólo en un día de ceremonia debe aceptarse un presente de manos de un deudo..., que aun puede ir a Roma sin volver con las manos vacías.

El acento helado con que Beatriz pronunció estas palabras turbó un momento al joven, que, después de serenarse, dijo con tristeza:

-Lo sé, prima; pero hoy se celebran Todos los Santos, y el tuyo entre todos; hoy es día de ceremonias y presentes. ¿Quieres aceptar el mío?

Beatriz se mordió ligeramente los labios y extendió la mano para tomar la joya, sin añadir una palabra.

Los dos jóvenes volvieron a quedarse en silencio, y volvióse a oír la cascada voz de las viejas que hablaban de brujas y de trasgos(1), y el zumbido del aire que hacía crujir los vidrios de las ojivas, y el triste y monótono doblar de las campanas.

Al cabo de algunos minutos, el interrumpido diálogo tornó a reanudarse de este modo:

-Y antes que concluya el día de Todos los Santos, en que así como el tuyo se celebra el mío, y puedes, sin atar tu voluntad, dejarme un recuerdo, ¿no lo harás? -dijo él clavando una mirada en la de su prima, que brilló como un relámpago, iluminada por un pensamiento diabólico.

-¿Por qué no? -exclamó ésta, llevándose la mano al hombro derecho como para buscar alguna cosa entre los pliegues de su ancha manga de terciopelo bordado de oro, y después, con una infantil expresión de sentimiento, añadió-: ¿Te acuerdas de la banda azul que llevé hoy a la cacería, y que por no sé qué emblema de su color me

---

(1) Duendes.

dijiste que era la divisa de tu alma?

-Sí.

-¡Pues... se ha perdido! Se ha perdido, y pensaba dejártela como un recuerdo.

-¡Se ha perdido! Y ¿dónde? -preguntó Alonso, incorporándose de su asiento y con una indescriptible expresión de temor y esperanza.

-No sé... En el monte acaso.

-¡En el Monte de las Ánimas! -murmuró, palideciendo y dejándose caer sobre el sitial-. ¡En el Monte de las Ánimas! -luego prosiguió, con voz entrecortada y sorda-: Tú lo sabes, porque lo habrás oído mil veces. En la ciudad, en toda Castilla, me llaman el rey de los cazadores. No habiendo aún podido probar mis fuerzas en los combates, como mis ascendientes, he llevado a esta diversión, imagen de la guerra, todos los bríos de mi juventud, todo el ardor hereditario de mi raza. La alfombra que pisan tus pies son despojos de fieras que he muerto por mi mano. Yo conozco sus guaridas y sus costumbres, y he combatido con ellas de día y de noche, a pie y a caballo, solo y en batida, y nadie dirá que me ha visto huir el peligro en ninguna ocasión. Otra noche volaría por esa banda, y volaría gozoso como a una fiesta; y, sin embargo, esta noche..., esta noche, ¿a qué ocultártelo?, tengo miedo. ¿Oyes? Las campanas doblan, la oración ha sonado en San Juan del Duero, las ánimas del monte comenzarán ahora a levantar sus amarillentos cráneos de entre las malezas que cubren sus fosas... ¡Las ánimas!, cuya sola vista puede helar de horror la sangre del más valiente, tornar sus cabellos blancos o arrebatarle en el torbellino de su fantástica carrera como una hoja que arrastra el viento sin que se sepa adónde.

Mientras el joven hablaba, una sonrisa imperceptible se dibujó en los labios de Beatriz que, cuando hubo concluido, exclamó con un tono indiferente y mientras atizaba el fuego del hogar, donde saltaba y crujía la leña, arrojando chispas de mil colores:

-¡Oh! Eso, de ningún modo. ¡Qué locura! ¡Ir ahora al monte por semejante friolera! ¡Una noche tan oscura, noche de Difuntos y cuajado el camino de lobos!

Al decir esta última frase la recargó de un modo tan especial, que Alonso no pudo menos de comprender toda su amarga ironía; movido como por un resorte se puso en pie, se pasó la mano por la frente, como para arrancarse el miedo que estaba en su cabeza y no en su corazón, y con voz firme exclamó, dirigiéndose a la hermosa, que estaba aún inclinada sobre el hogar, entreteniéndose en revolver el fuego:

-Adiós, Beatriz, adiós. Hasta pronto.

-¡Alonso, Alonso! -dijo ésta, volviéndose con rapidez; pero cuando quiso o aparentó querer detenerlo, el joven había desaparecido.

A los pocos minutos se oyó el rumor de un caballo que se alejaba al galope. La hermosa, con una radiante expresión de orgullo satisfecho que coloreó sus mejillas, prestó atento oído a aquel rumor que se debilitaba, que se perdía, que se desvaneció por último.

Las viejas, en tanto, continuaban en sus cuentos de ánimas aparecidas; el aire zumbaba en los vidrios del balcón, y las campanas de la ciudad doblaban a lo lejos.

• III •

Había pasado una hora, dos, tres; la medianoche estaba a punto de sonar, cuando Beatriz se retiró a su oratorio. Alonso no volvía, no volvía, y, a querer, en menos de una hora pudiera haberlo hecho.

-¡Habrá tenido miedo! -exclamó la joven, cerrando su libro de oraciones y encaminándose a su lecho, después de haber intentado inútilmente murmurar algunos de los rezos que la Iglesia consagra en el día de Difuntos a los que ya no existen.

Después de haber apagado la lámpara y cruzado las dobles cortinas de seda, se durmió; se durmió con un sueño inquieto, ligero, nervioso.

Las doce sonaron en el reloj del Postigo(1). Beatriz oyó entre sueños las vibraciones de las campanas, lentas, sordas, tristísimas, y entreabrió los ojos. Creía haber oído, a par de ellas, pronunciar su nombre; pero lejos, muy lejos, y por una voz ahogada y doliente. El viento gemía en los vidrios de la ventana.

-Será el viento -dijo, y poniéndose la mano sobre su corazón procuró tranquilizarse.

Pero su corazón latía cada vez con más violencia. Las puertas de alerce del oratorio habían crujido sobre sus goznes con un chirrido agudo, prolongado y estridente.

Primero unas y luego las otras más cercanas, todas las puertas que daban paso a su habitación iban sonando por

---

(1) Reloj situado en la puerta de Soria, que fuera derribada por los mismos españoles durante la guerra de Independencia contra los franceses, a principios del S. XIX.

su orden; éstas con un ruido sordo y grave, y aquéllas con un lamento largo y crispador. Después, silencio; un silencio lleno de rumores extraños, el silencio de la medianoche, con un murmullo monótono de agua distante; lejanos ladridos de perros, voces confusas, palabras ininteligibles; ecos de pasos que van y vienen, crujir de ropas que se arrastran, suspiros que se ahogan, respiraciones fatigosas que casi se sienten, estremecimientos involuntarios que anuncian la presencia de algo que no se ve y cuya aproximación se nota, no obstante, en la oscuridad.

Beatriz, inmóvil, temblorosa, adelantó la cabeza fuera de las cortinillas y escuchó un momento. Oía mil ruidos diversos; se pasaba la mano por la frente, tornaba a escuchar; nada, silencio.

Veía, con esa fosforescencia de la pupila en las crisis nerviosas, como bultos que se movían en todas las direcciones, y cuando dilatándolas las fijaba en un punto, nada: oscuridad, las sombras impenetrables.

-¡Bah! -exclamó, volviendo a recostar su hermosa cabeza sobre la almohada de raso azul del lecho-. ¿Soy yo tan miedosa como esas pobres gentes, cuyo corazón palpita de terror bajo una armadura al oír una conseja de aparecidos?

Y cerrando los ojos, intentó dormir...; pero en vano había hecho un esfuerzo sobre sí misma. Pronto volvió a incorporarse, más pálida, más inquieta, más aterrada. Ya no era una ilusión: las colgaduras de brocado de la puerta se habían rozado al separarse, y unas pisadas lentas sonaban sobre la alfombra; el rumor de aquellas pisadas era sordo, casi imperceptible, pero continuado, y a su compás se oía crujir una cosa como madera o hueso. Y se acercaban, se acercaban, y se movió el reclinatorio que estaba a la orilla de su lecho. Beatriz lanzó un grito agudo, y arrebujándose en la ropa que la cubría, escondió la cabeza y contuvo el aliento.

El aire azotaba los vidrios del balcón; el agua de la fuente lejana caía y caía con un rumor eterno y monótono; los ladridos de los perros se dilataban en las ráfagas del aire, y las campanas de la ciudad de Soria, unas cerca, otras distantes, doblaban tristemente por las ánimas de los difuntos.

Así pasó una hora, dos, la noche, un siglo, porque la noche aquella pareció eterna a Beatriz. Al fin, despuntó la aurora. Vuelta de su temor, entreabrió los ojos a los primeros rayos de la luz. Después de una noche de insomnio y de terrores, ¡es tan hermosa la luz clara y blanca del día! Separó las cortinas de seda del lecho, tendió una mirada serena a su alrededor, y ya se disponía a reírse de sus temores pasados, cuando de repente un sudor frío cubrió su cuerpo, sus ojos se desencajaron y una palidez mortal decoloró sus mejillas: sobre el reclinatorio había visto, sangrienta y desgarrada, la banda azul que perdiera en el monte, la banda azul que fue a buscar Alonso.

Cuando sus servidores llegaron, despavoridos, a notificarle la muerte del primogénito de Alcudiel, que a la mañana había aparecido devorado por los lobos entre las malezas del Monte de las Ánimas, la encontraron inmóvil, crispada, asida con ambas manos a una de las columnas de ébano del lecho, desencajados los ojos, entreabierta la boca, blancos los labios, rígidos los miembros, muerta, ¡muerta de horror!

• IV •

Dicen que después de acaecido este suceso, un cazador extraviado que pasó la noche de Difuntos sin poder salir del Monte de las Ánimas, y que al otro día, antes de morir, pudo contar lo que viera, refirió cosas horribles. Entre otras, se asegura que vio a los esqueletos de los antiguos Templarios y de los nobles de Soria enterrados en el atrio de la capilla levantarse al punto de la oración con un estrépito horrible y, caballeros sobre osamentas de corceles, perseguir como a una fiera a una mujer hermosa, pálida y desmelenada que, con los pies desnudos y sangrientos, y arrojando gritos de horror, daba vueltas alrededor de la tumba de Alonso.

— *Nathaniel Hawthorne* —

El huésped ambicioso

En una noche de setiembre una familia estaba reunida alrededor del fuego de la chimenea, bien alimentado con los troncos que habían arrastrado los torrentes de la montaña, y con piñas secas y ramas de los grandes árboles, que se habían precipitado de las escarpadas laderas. El fuego ardía, y sus anchas llamas iluminaban la habitación. Los rostros del padre y de la madre reflejaban una serena alegría, los niños reían; la hija mayor era la imagen de la felicidad a los diecisiete años, y la anciana abuela, que tejía sentada en el rincón más cálido de la habitación, era la imagen de la felicidad en la vejez. Habían encontrado la hierba de la trinitaria(1) en el paraje más frío y desolado de toda Nueva Inglaterra.

Esta familia se había radicado en la Hendidura de los Cerros Blancos, donde el viento azotaba con violencia durante todo el año, y el frío era despiadado en el invierno... arreciando sobre la cabaña con toda su inclemencia antes de descender al valle del Saco. Habitaban en un lugar muy frío y peligroso, porque sobre sus cabezas se eleva-

---

(1) La trinitaria o pensamiento es el nombre de una planta de jardín. En inglés, el nombre de esta planta (heartsease) significa también *tranquilidad*.

ba una montaña tan escarpada, que las rocas se precipitaban con frecuencia por sus laderas y su rugido los alarmaba a medianoche.

La hija acababa de contar un sencillo relato que los había divertido a todos, cuando el viento azotó a través de la Hendidura y pareció detenerse ante la cabaña... moviendo la puerta con una especie de queja y lamento, antes de continuar su trayecto hacia el valle.

Por un momento se sintieron tristes y atemorizados, aunque el hecho no era para nada desacostumbrado. Pero ya la familia había recobrado de nuevo su buen ánimo, cuando reconocieron que alguien tocaba a la puerta; era el llamado de algún viajero, cuyas pisadas habían pasado inadvertidas a causa de la tremenda ráfaga de aire que había precedido su llegada, que había aullado mientras él entraba, y se había alejado luego gimiendo, para desaparecer más allá de la puerta.

Esta familia, a pesar de vivir en un lugar tan solitario, tenía una comunicación cotidiana con el mundo. El romántico paso de la Hendidura es una gran arteria, a través de la cual se produce un flujo constante de comercio interior entre Maine, por un lado, y las Montañas Verdes y las riberas del Saint Lawrence, por otro.

La diligencia se paraba siempre ante la puerta de la cabaña. El caminante, que no llevaba más compañía que su bastón, se detenía allí para intercambiar unas palabras, a fin de que el sentido de la soledad no lo venciera totalmente antes de que atravesase la hendidura de la montaña o alcanzase la primera casa del valle. El carretero, en su viaje hacia el mercado de Portland, podía pasar allí la noche; y, si era soltero, podía quedarse despierto una hora más de lo acostumbrado y robar un beso a la muchacha de la montaña antes de partir de nuevo.

Era una de esas tradicionales tabernas donde el viajero paga sólo por la comida y la estancia, pero en la que recibe una amabilidad hogareña que está por encima de todo precio. Por eso, cuando se oyeron los pasos entre la puerta exterior y la de la posada, la familia en pleno se puso de pie, incluso la abuela y los niños, como si se tratara de dar la bienvenida a uno de ellos mismos, o a alguien cuyo destino estaba íntimamente ligado con el de la familia.

Un hombre joven empujó la puerta y la abrió. Su cara, a primera vista, tenía una expresión melancólica, casi desolada, un rostro digno de uno de esos individuos que viajan por caminos agrestes y solitarios, al anochecer y solos, pero que enseguida se iluminaba al ver la calurosa amabilidad con que era recibido. Sintió que su corazón saltaba de alegría al reunirse con todos ellos, desde la abuela, que limpiaba una silla con su delantal, hasta el más chiquito, que le pedía que lo alzara. Una ligera mirada y una sonrisa pusieron al recién llegado en una situación de inocente familiaridad con la hija mayor.

-¡Ah, este fuego es lo que necesito! -dijo-. Sobre todo cuando se sientan a su alrededor unas personas tan agradables como ustedes. Estoy completamente helado, porque la Hendidura es como el respiradero de unos gigantescos fuelles. Durante todo mi camino, desde Barlett, me ha golpeado en la cara un viento feroz, un verdadero vendaval.

-Entonces, ¿usted viaja hacia Vermont? -preguntó el dueño de la casa, mientras ayudaba al joven a quitarse un ligero morral que cargaba en los hombros.

-Sí, voy a Burlington -le contestó-, y todavía más lejos. Quiero decir que tenía que haber estado esta noche en la posada de Ethan Crawford. Pero un caminante tarda mucho tiempo en recorrer una zona tan infernal como ésta. De todos modos, no me importa, porque al ver este hermoso fuego y unas caras tan amables, he sentido como si todos ustedes lo hubiesen encendido a propósito para mí y estuvieran esperando mi llegada. Así, pues, me sentaré con ustedes y me consideraré como en mi propia casa.

El cordial desconocido había acercado su silla al fuego, cuando se oyeron algo así como unos pesados pasos en el exterior, que bajaban presurosamente la escarpada ladera de la montaña con grandes zancadas, que se aceleraban al pasar por delante de la cabaña y que se precipitaban al fondo de la hondonada. Toda la familia contuvo la respiración, porque conocían ese ruido, y el huésped, sólo por instinto, los acompañó en su ansiedad.

-La vieja montaña nos ha lanzado una piedra, porque teme que la olvidemos -dijo el dueño, recobrándose-. Algunas veces inclina la testa y nos amenaza con desmoronarse; pero ya somos antiguos vecinos y concordamos armoniosamente con el conjunto. Además, tenemos un refugio seguro por si la montaña quisiera perder sus buenos modales.

Supongamos ahora que el forastero ya ha terminado su cena de carne de oso, y que en razón de su simpatía natural y honrado comportamiento se conquistó a la familia, y por ese motivo, todos hablaban libremente, como si él perteneciera al clan de la montaña.

El joven era de espíritu orgulloso, pero también apacible; era altanero, aunque reservado, entre la gente rica y poderosa; pero eso sí, siempre estaba dispuesto a inclinar la cabeza ante la puerta de la casita más humilde y ser como un hermano o un hijo en el hogar del pobre. En la casa de la Hendidura encontró calor y sencillez de sentimientos, la aguda inteligencia de Nueva Inglaterra y una gran poesía natural que esa gente había sabido reunir, aun cuando apenas pensaban en ello, de los picos y abismos de la montaña, y hasta del propio umbral de su romántica y peligrosa residencia.

El peregrino había viajado desde muy lejos y sin compañía; en realidad, toda su vida había sido como un camino solitario, ya que dado el elevado juicio de su carácter, siempre se había mantenido alejado de todos aquellos que podrían haber sido sus compañeros. También la familia, a pesar de ser tan amable y hospitalaria, mantenía esa conciencia de unidad respecto de sí misma, tan verdaderamente separada del mundo que, como en todos los círculos domésticos, se reservaba un lugar sagrado en el que no podía introducirse ningún extraño. A pesar de esto, un profético sentimiento de simpatía impulsaba esa noche al refinado y educado joven a abrir su corazón a aquellos simples montañeses, y los obligaba a responderle con la misma libertad y confianza. Y así debía ser. ¿Acaso no es la afinidad de un destino común un lazo más sólido que el del nacimiento?

El secreto del carácter del joven consistía en una alta y concentrada ambición. Podía haber nacido para una vida anónima, pero no para ser olvidado en la tumba. Los suspirados deseos se habían transformado en esperanzas, y la esperanza, tanto tiempo acariciada, se había convertido en la certeza de que, a pesar de lo oscuramente que ahora viajaba, una gloria iluminaba todos sus senderos... aunque tal vez no mientras él los estuviera pisando. Sin embargo, cuando la posteridad volviera una mirada escrutadora a las tinieblas de lo que ahora era el presente, reconocería la brillantez de sus pasos, aclarando cómo las glorias más significativas se marchitan, y confesando que una persona de talento había marchado desde la cuna a la tumba sin que nadie lo advirtiera.

-Hasta ahora -exclamó el forastero, con las mejillas encendidas y los ojos inflamados de entusiasmo-, hasta ahora yo no he hecho nada. Si desapareciera de la tierra mañana, nadie me conocería mejor que ustedes: un joven sin nombre, que llegó al caer la tarde, procedente del valle del Saco, y que abrió su corazón a ustedes y, al elevarse el sol, cruzó la Hendidura y desapareció para siempre. Ni una sola alma preguntaría: ¿Quién era? ¿Adónde se dirigía el vagabundo?... Sin embargo, yo sé que no puedo morir hasta que haya alcanzado mi meta. Entonces, ¡que llegue la muerte! ¡Ya habré construido mi monumento!

Había un flujo continuo de emotividad natural que brotaba en medio de la honda fantasía y que le permitía a la familia comprender los sentimientos del joven, a pesar de ser tan diferentes de los suyos propios. Con una rápida sensación de ridículo, el joven se ruborizó al tomar conciencia del ardor con que se había traicionado al manifestar sus intimidades.

-Ustedes se reirán de mí -dijo, tomando la mano de la hija mayor y burlándose de sí mismo-. Ustedes pensarán que mi ambición tiene tan poco sentido como ir a la cima del monte Washington y permanecer allí hasta morir congelado, solamente para que la gente que vive en los alrededores lo viera a uno... ¡Y a decir verdad, hacer eso sería un noble pedestal para la estatua de un hombre!

-¡Es mejor estar sentado aquí, al lado del fuego! -le contestó la muchacha, sonrojándose-. Y sentirnos cómodos y satisfechos, aunque no haya nadie que piense en nosotros.

-Supongo -comentó su padre, después de meditar un momento- que hay algo real en lo que el joven está diciendo; y si mi espíritu estuviera dirigido hacia ese camino, seguramente sentiría lo mismo que él. Es extraño, esposa, pero la charla de este joven obligó a mi cabeza a pensar en cosas que son muy bonitas y seguramente jamás llegarán a pasar.

-Pero tal vez puedan pasar -observó la esposa-. ¿Acaso el hombre está pensando en lo que hará una vez que se quede viudo?

-¡No, no! -gritó, rechazando la idea con un amable reproche-. Cuando pienso en tu muerte, Esther, pienso también en la mía. Lo que estaba deseando era tener una linda granja en Bartlett, o en Bethlehem, o en Littleton o en algún otro lugar cercano a las Montañas Blancas, aunque no donde pudieran desmoronarse sobre nuestras cabezas. Me gustaría estar en buena armonía con mis vecinos, que me llamasen *Squire*(1) y que me enviaran a la Corte General como jurado, por un período o dos; porque allí un hombre honrado y sencillo puede hacer tanto bien como un abogado. Y cuando llegase a viejo y tú fueses también una anciana, para no estar mucho tiempo separados, moriría más que feliz en mi casa, con todos ustedes llorando a mi alrededor. Una lápida de pizarra me gustaría tanto como una de mármol... sólo con mi nombre y mi edad, y el verso de un himno, y algo que hiciera conocer a la gente que he vivido como un buen hombre honrado y muerto como un cristiano.

-¡Ya lo ve! -exclamó el viajero-. Es natural en nosotros desear un monumento, ya sea de pizarra o de mármol, ya un pilar de granito o un recuerdo glorioso en el corazón universal del hombre.

-Estamos algo extraños esta noche -dijo la esposa, con lágrimas en los ojos-. Dicen que algo va a suceder cuando el pensamiento de las personas vagabundea de esta manera. ¡Escuchen a los niños!

Todos escucharon atentamente. Los niños ya estaban acostados en la habitación inmediata, pero con la puerta abierta, de modo que se los podía oír hablando acaloradamente entre ellos. Parecían haberse contagiado de la atmósfera que imperaba alrededor de la lumbre, y se gritaban unos a otros sus deseos e infantiles proyectos de lo que harían cuando se convirtieran en hombres y mujeres. Finalmente, uno de los pequeños, en vez de dirigirse a sus hermanos llamó a la madre.

---

(1) En Estados Unidos, se llama así al alcalde o juez de paz.

-Te voy a decir lo que yo quiero, madre -gritó-. Quiero que tú, y papá, y la abuelita, y todos nosotros, y también el forastero, salgamos de la casa y vayamos a beber un poco de agua a la cuenca del Flume.

Nadie pudo reprimir la carcajada que causó la salida del niño de querer abandonar su cama calentita y sacarlos de ese ambiente junto al fuego para visitar la cuenca del Flume... un arroyo que se precipitaba en el abismo, en las profundidades de la Hendidura. El muchacho apenas había terminado de hablar, cuando se oyó en la carretera el rechinar de un carro, que se había parado un momento ante la puerta. Parecía que llevaba dos o tres hombres, los cuales cantaban a coro una enérgica canción, con intención de alegrar sus corazones, canción que resonaba sobre las rocas en notas entrecortadas, mientras los cantantes vacilaban entre continuar su camino o quedarse allí para pasar la noche.

-Papá -dijo la muchacha-, oye, te están llamando por tu nombre.

Pero el buen hombre dudaba de si en realidad lo habían llamado, y no estaba dispuesto a mostrarse muy interesado en ganar dinero dando alojamiento en su casa a viajeros desconocidos. De modo que no se apuró en acudir a la puerta, y los viajeros, haciendo restallar el látigo, se internaron en la Hendidura todavía cantando y riendo, pero la música y la alegría llegaban hasta ellos con mucha tristeza desde el corazón de la montaña.

-¡Mira, madre! -gritó el niño de nuevo-. Ellos nos hubieran podido llevar al Flume.

Otra vez se rieron del insistente capricho del niño de

dar un paseo nocturno. Pero sucedió que una ligera sombra pasó por la mente de la hija. Ésta contempló seriamente el fuego y dejó escapar su aliento de tal modo que más pareció un suspiro, el cual se esforzó en salir de su pecho, a pesar de su pequeña lucha por reprimirlo. Entonces, estremeciéndose y ruborizándose, miró con rapidez a quienes la rodeaban, como si ellos hubiesen lanzado una mirada escrutadora al interior de su pecho. El forastero le preguntó en qué pensaba.

-En nada -contestó con cansada sonrisa-. Sólo que de pronto me he sentido sola.

-Oh, yo siempre he tenido el don de adivinar qué pasa en el corazón de otra persona -dijo, medio en serio-. ¿Quiere que le diga sus secretos? Porque yo sé qué pensar cuando una joven tiembla por su corazón ardiente y se queja de soledad, estando al lado de su madre. ¿Quiere que ponga en palabras estos sentimientos?

-Ya no serían sentimientos de muchacha si se pusieran en palabras -replicó la ninfa de la montaña, riendo, pero esquivando los ojos del joven.

Todo esto fue dicho en un aparte. Tal vez un germen de amor estaba brotando en sus corazones, tan inocente que podía florecer en el Paraíso, ya que no podía madurar en la tierra; porque las mujeres veneran una dignidad tan tranquila como la de él, y el alma orgullosa y contemplativa, aunque gentil, suele sentirse atraída por simplicidades como las de ella. Pero mientras ellos susurraban y el joven observaba la alegre melancolía, las luminosas sombras y los tímidos anhelos de una naturaleza femenina, el viento adquirió un sonido más profundo y más lúgubre a medida que iba pasando a través de la Hendidura. Parecía, como dijo el fantástico forastero, una canción a coro de los espíritus de la ráfaga, quienes, en los viejos tiempos de los indios, se refugiaban entre estas montañas y hacían de esas alturas y de sus retiros una región sagrada. Provino una especie de lamento desde la carretera, como si estuviese pasando un entierro. Para disipar las tinieblas, la familia arrojó ramas de pino al fuego, hasta que las secas hojas comenzaron a crujir y la llama se avivó, descubriendo, una vez más, una escena de paz y de humilde felicidad. La luz se extendió sobre ellos acariciadora. Desde la otra habitación asomaban las caritas de los niños, espiando desde sus camas, y aquí estaban la del padre, llena de vigor; la de la madre, de semblante suave y solícito; la del joven, de espaciosa frente... y la muchacha en flor, y la buena y anciana abuela aún tejiendo en el lugar más caliente y acogedor. La vieja levantó la vista de su labor, y con los dedos siempre en movimiento, fue la que habló a continuación.

-Los viejos tienen sus ideas -dijo-, que son tan buenas como las de los jóvenes. Ustedes han estado deseando y planeando, y han dejado que sus pensamientos fueran de una cosa a otra hasta que han hecho que mi cabeza se ponga a divagar también. Pero, ¿qué puede desear una vieja a la que apenas le falta dar un paso antes de ir a la tumba? Hijos, esta idea me perseguirá noche y día hasta que se la diga.

-¿Y qué es, madre? -dijeron a la vez marido y mujer.

Entonces la anciana, con un aire de misterio que hizo que el grupo se arrimara más apretadamente junto al fuego, les informó que ella había preparado su mortaja algunos años antes; una mortaja de hilo blanco y una cofia con volados de muselina, todo de un tejido tan fino como jamás había vuelto a usar desde el día de su boda. Pero aquella noche había recordado de una manera extraña una antigua superstición. Solía decirse en su juventud que si algo era impropio de un cadáver, por ejemplo si el volado de muselina no era lo bastante suave, o la cofia no calzaba bien, el cadáver, primero en el ataúd y después en la tierra, se esforzaba por levantar sus frías manos y arrancárselo. Y el extraño recuerdo la había puesto nerviosa.

-¡Oh! ¡No hables así, abuela! -protestó la muchacha, temblando.

-Ahora -continuó la anciana con singular ansiedad, y sonriendo extrañamente ante su propio desvarío-, hijos míos, yo quiero que uno de ustedes, cuando su madre esté amortajada y ya en el ataúd, yo quiero que uno de ustedes ponga un espejo delante de mi cara... ¿Quién sabe si podré echarme una mirada para ver si todo va bien?

-Viejos y jóvenes, todos pensamos en tumbas y monumentos -murmuró el forastero-. Me gustaría saber qué sienten los marineros cuando el barco se hunde y ellos, anónimos e indistintos, son enterrados sin diferencias de ninguna clase en el océano... una sepultura tan vasta y sin nombre.

Por un instante, la tétrica imagen evocada por la abuela absorbió el pensamiento de sus oyentes, y no se dieron cuenta de un ruido exterior que aumentaba en medio de la noche, un ruido parecido a un lamento de la ráfaga, ancho, profundo y terrible. La casa tembló, junto con todo lo de su interior; pareció que los cimientos de la tierra se habían estremecido, como si este espantoso ruido fuera el toque de trompetas del Juicio Final. Jóvenes y viejos cambiaron entre sí una mirada de pavor y permanecieron, por un instante, pálidos, atemorizados, incapaces de pronunciar palabra, sin ánimos para dar un paso. De repente, el mismo grito salió, brotando de todas las bocas al unísono:

-¡El alud!... ¡El alud!...

Las palabras más sencillas pueden insinuar, pero no retratar el indescriptible horror de la catástrofe. Las víctimas se precipitaron fuera de la cabaña y buscaron refugio en lo que creyeron lugar seguro... donde, en previsión de una emergencia así, habían levantado una barrera. ¡Ay!, sin embargo habían abandonado el verdadero lugar seguro para correr hacia el sitio mismo de la hecatombe. Se desmoronó la ladera de la montaña en su totalidad, en medio de una catarata de escombros. Justo antes de alcanzar la casa, el alud se dividió en dos ramas... y sin tocar siquiera una sola de las ventanas de ella, pero invadiendo todo lo que la rodeaba, bloqueando la carretera y aniquilando todo en su curso demoledor.

Mucho tiempo antes de que el estruendo del espantoso alud cesara de retumbar entre las montañas, la mortal agonía se había consumado y las víctimas estaban en paz. Sus cuerpos jamás fueron encontrados.

A la mañana siguiente, la gente vio una delgada columna de humo que salía de la chimenea de la cabaña y se elevaba hacia la montaña. Dentro aún ardían las brasas en el hogar, y las sillas permanecían en círculo alrededor de él, como si los ocupantes sólo hubiesen salido un momento para ver la devastación del alud y volviesen en breve para dar gracias a Dios por haber escapado milagrosamente al peligro. Todos habían dejado recuerdos individuales y al verlos, quienes habían conocido a la familia no podían dejar de derramar lágrimas por cada uno de ellos.

¿Quién no había oído sus nombres? La historia se contó en todos los rincones del país, y quedará para siempre como una leyenda en esas montañas. Los poetas cantaron su triste destino.

Existían algunas pruebas que hacían a algunos suponer que un forastero había sido recibido en la cabaña aquella trágica noche y que había compartido la extraña suerte de todos sus moradores. Otros consideran que no había suficientes pruebas para justificar semejante conjetura. ¡Pobre joven ambicioso, con su sueño de Inmortalidad Terrenal! Su nombre y su persona son totalmente desconocidos; su historia, su forma de vida, sus planes constituyen un misterio que jamás será resuelto; su muerte y su existencia se igualan en la misma duda: ¿quién era el que agonizó en aquel momento fatal?

— *Edgar Allan Poe* —

El corazón delator

Cierto. Nervioso, he sido y soy muy, muy nervioso; pero, ¿por qué *dirán* que estoy loco? El mal ha agudizado mis sentidos, pero no los ha destruido ni entorpecido. Sobre todo mi agudeza de oído. Escucho todo lo que puede oírse en el cielo y en la tierra. Y también muchas cosas del infierno. Entonces, ¿cómo puedo estar loco? Y si no, observen con qué cordura, con qué tranquilidad puedo contarles toda la historia.

No me es posible decir en qué momento se me ocurrió esa idea; pero una vez concebida se apoderó de mí noche y día. No perseguía objeto alguno. No me movía ninguna pasión. Yo quería al viejo. Nunca me había maltratado. Nunca me había asustado. No me interesaba su oro. ¡Pienso que fue su ojo! Sí, ¡eso fue! Uno de sus ojos parecía el de un buitre: un ojo azul pálido, con una niebla que lo cubría. Cada vez que me miraba, se me congelaba la sangre. *Así*, poco a poco, muy lentamente, fui tomando la decisión de matarlo, de matar al viejo y de esa forma librarme del ojo para siempre.

Ahora bien, fíjense en esto. Ustedes insisten en decir que estoy loco. Pero los locos no saben nada; tendrían que haberme visto a *mí*. Tendrían que haber visto cómo actué, con qué cordura, ¡con qué prudencia, con qué previsión, con cuánto disimulo hice las cosas! Nunca fui tan amable con el viejo como toda aquella semana antes de matarlo. Cada noche, alrededor de las doce, hacía girar el picaporte de su puerta y la abría muy lentamente. Cuando había un espacio suficiente como para meter la cabeza, introducía una linterna -bien cerrada para que no se viera la luz- y luego, sí, asomaba la cabeza. ¡Oh, se habrían reído si hubieran visto con cuánta habilidad la metía! Me iba asomando despacio, muy despacio, para no estorbar el sueño del viejo. Tardaba una hora en pasar toda la cabeza por la abertura de la puerta hasta poder verlo echado en la cama. ¿Acaso un loco hubiera sido capaz de hacer algo así? Entonces, una vez que tenía la cabeza totalmente adentro de la habitación, abría la linterna con toda calma. Eso es, con toda calma porque crujían las bisagras. Y la abría para que un solo rayito de luz cayera justo sobre el ojo de buitre. Y lo hice así durante siete largas noches. Y cada noche exactamente a las doce. Pero siempre encontré el ojo cerrado. Y por eso me resultaba imposible llevar a cabo mi tarea; porque no era el viejo lo que me exasperaba, sino su ojo malvado. Todas las mañanas, ni bien amanecía, me iba a su habitación con todo desparpajo, hablándole tranquilamente, llamándolo por su nombre en tono amigable y preguntándole qué tal había pasado la noche. Como ustedes verán, tendría que haber sido un viejo demasiado astuto como para sospechar que todas las noches, justo a las doce, yo lo contemplaba mientras dormía.

La octava noche fui mucho más cauteloso que nunca

al abrir la puerta. El minutero de un reloj se mueve mucho más rápidamente de lo que se movía mi mano. Nunca jamás sino hasta aquella noche había *sentido* el alcance de mi propio poder, de mi sagacidad. Me invadía una sensación de triunfo. ¡Pensar que yo estaba ahí, que abría la puerta poco a poco y que él ni siquiera sospechaba mis actos ni mis pensamientos más ocultos! Casi me reí entre dientes al pensarlo, y tal vez me haya oído, porque de golpe se movió en la cama, como ante un sobresalto. ¿Y piensan ustedes que volví sobre mis pasos? No. Su habitación estaba tan oscura como un pozo, porque los postigos de las ventanas estaban bien cerrados por temor a los ladrones. Entonces yo sabía que no podría ver la abertura de la puerta, así que seguí empujándola sin parar.

Ya había metido la cabeza adentro y estaba por abrir la linterna, cuando mi dedo resbaló en el cierre de lata y el viejo saltó en la cama gritando: "¿Quién está ahí?"

Me quedé muy quieto y no dije nada. Estuve toda una hora sin mover ni un solo músculo y en todo ese tiempo no escuché que se acostara. Seguía sentado en la cama, escuchando tal como yo hacía noche tras noche, escuchando en la pared la carcoma de la muerte.

Al rato, oí un gemido muy tenue y me di cuenta de que era el gemido de un terror mortal. No se trataba de un gemido de dolor ni de pena -no, claro que no- era un sonido apagado, que surge del fondo del alma cuando se siente oprimida por un gran temor. Yo conocía muy bien ese sonido. Muchas noches -a medianoche, exactamente- y cuando todos dormían, brotó de mi propio pecho, acentuando con su eco espantoso los horrores que me volvían loco. Por eso digo que lo conocía bien; sabía lo que el viejo estaba sintiendo y me daba lástima. Pero en el fondo de mi corazón, me reía. Sabía que él estaba despierto desde que escuchara el ruido, desde el momento en que se movió en la cama. Y desde ese momento, el miedo lo iba envolviendo cada vez más. Inútilmente trataba de convencerse de que era infundado; "sólo es el viento en la chimenea", se diría seguramente, "sólo es un ratón que anda por el piso", o "se trata de un grillo que cantó nada más que una vez". Sí, trató de darse ánimo con estas conjeturas, pero pronto comprendió que todo era en vano. *Todo era en vano*, porque la muerte se acercaba con su negra sombra para envolver a su víctima. Y fue la fúnebre influencia de esa sombra invisible lo que le hizo sentir -sólo *sentir*, porque ni la vio ni la oyó- la presencia de mi cabeza dentro de la habitación.

Después de esperar un rato, muy despacio y sin escuchar que volviera a acostarse, decidí abrir una pequeñísima ranura en la linterna. Entonces la abrí -no se imaginan con cuánto cuidado lo hice- hasta que un débil rayo de luz, como un hilo de araña, salió por la ranura y dio de pleno en el ojo de buitre.

Estaba tan abierto, que al verlo me puse furioso. Lo vi claramente, de un azul lavado, cubierto por una asquerosa membrana que me helaba la sangre en las venas. No pude verle al viejo el resto de la cara ni el cuerpo, porque el rayo de luz iba derecho al ojo.

¿No dije ya que lo que ustedes equivocadamente llaman locura es sólo una exagerada agudeza de los sentidos? Porque resulta que llegó hasta mis oídos un sonido bajo, sordo y rápido como el que hace un reloj cuando se lo envuelve en un trapo. También *aquel* sonido lo conocía muy bien. Eran los latidos del corazón del viejo. Así como el redoble de los tambores acrecienta el valor del soldado, así aumentó mi furia.

Aun así, me contuve y me quedé inmóvil, casi sin respirar. Mantuve la linterna quieta, tratando de que el rayo cayera fijamente sobre el ojo. Mientras tanto, el infernal tamborilear del corazón iba en aumento. Cada vez era más rápido, más fuerte. ¡El terror del viejo debe de haber sido inmenso! Les estoy diciendo que cada vez se oía más fuerte. ¿Se dan cuenta? Ya les dije que soy nervioso; y sí, lo soy. En esa hora siniestra de la noche, en el horrible silencio de aquella vieja casa, un ruido tan extraño como ése me colmó de un terror incontrolable. De todos modos, me contuve y me quedé inmóvil unos minutos más. ¡Y los latidos se oían cada vez más y más fuertes! Parecía que el corazón iba a estallar. Entonces sentí una nueva ansiedad, ¡porque algún vecino podía escuchar esos latidos! ¡Al viejo le había llegado la hora! Dando un alarido, abrí la linterna y entré a la habitación. El viejo pegó un grito, sólo uno. Lo arrojé al suelo de una vez y le tiré la pesada cama encima. Alegremente sonreí por lo que había hecho. Sin embargo, durante muchos minutos se oyó latir al corazón con un ruido ahogado. Pero esto no me irritó porque no podría oírse a través de la pared. Al fin cesó. El viejo se había muerto. Corrí la cama y examiné el cadáver. Sí, estaba muerto; muerto del todo. Le puse la mano sobre el corazón y la dejé ahí unos minutos. No había latidos. Estaba completamente muerto. Su ojo no me molestaría nunca más.

Si todavía piensan que estoy loco, cambiarán de opinión cuando les cuente las atinadas precauciones que tuve para esconder el cadáver. La noche avanzaba y yo me movía rápidamente, en silencio. Lo primero que hice fue despedazar el cadáver: le corté la cabeza, los brazos y las piernas.

Luego levanté tres tablas del piso y escondí los restos en el hueco. Coloqué las tablas otra vez, y lo hice tan hábilmente que ningún ojo humano -tampoco *el del viejo*- hubiera podido descubrir algo. No había que lavar nada -no había manchas de ningún tipo- ni vestigio alguno de sangre. Es que yo había tenido mucho cuidado: había puesto todo en una tina. ¡Ja, ja, ja!

Una vez que terminé todo el trabajo, ya eran las cuatro. Aún seguía tan oscuro como a medianoche. Cuando se oyeron las campanadas de la noche, llamaron a la puerta de calle. Yo bajé a abrir muy tranquilo porque, ¿de qué podía tener miedo? Entraron tres hombres que se presentaron, con mucha educación, como agentes de policía. Durante la noche, un vecino había oído un grito; surgieron sospechas acerca de que se podía estar cometiendo algún delito; se presentó una denuncia en la comisaría y finalmente los habían enviado a ellos para investigar.

Sonreí. ¿*Qué* podía temer? Recibí a los caballeros y les dije que el grito lo había dado yo, soñando. Les conté, además, que el viejo se había ido al campo. Les hice recorrer la casa. Les pedí que registraran todo bien *a fondo*.

Y finalmente los llevé a *su* habitación. Les mostré sus tesoros, cada uno en su lugar. Estaba tan entusiasmado con mi seguridad, que llevé unas sillas a la habitación para que descansaran allí mismo, mientras yo, con la loca audacia que me provocaba mi triunfo, colocaba mi silla en el exacto lugar donde se hallaba el cadáver del viejo.

Los agentes se mostraron conformes. Mi *actitud* los había convencido. Yo estaba muy tranquilo. Se sentaron y charlaron de todo un poco, mientras yo contestaba alegremente. Pero poco después, sentí que me ponía pálido y tuve ganas de que se fueran. Me dolía la cabeza y sentía un zumbido en los oídos. Y ellos seguían ahí, sentados y charlando. El zumbido se fue haciendo cada vez más y más claro, y yo hablaba sin cesar para terminar con esa sensación; pero el zumbido seguía cada vez más claro, hasta que finalmente comprendí que el ruido *no* estaba adentro de mis oídos.

No dudo de que me puse muy pálido, pero continué hablando, mucho y en voz bien alta. Pero el sonido aumentaba... ¿Y yo qué podía hacer? Era un *sonido bajo, sordo, rápido, como el sonido de un reloj cuando se lo envuelve en un trapo.* Yo me estaba ahogando, pero los agentes no oían nada. Hablaba más rápido, con más vehemencia, y el ruido seguía creciendo. Entonces me levanté y empecé a discutir sobre vanalidades en un tono estridente y con gestos bruscos; pero el ruido seguía creciendo. ¿Por qué no se irían? Recorrí el cuarto de un lado a otro, a grandes zancadas, como si estuviera furioso por lo que aquellos hombres decían, pero el ruido seguía creciendo. ¡Dios mío! ¿Qué podía hacer yo? ¡Me salía espuma por la boca, deliraba, maldecía! Agarré la silla en la que antes me había sentado y la arrastré por las tablas del piso, pero el ruido se oía aún por encima de los demás y seguía creciendo. Se hizo más fuerte, más fuerte... *fuertísimo*. Y los hombres seguían charlando de lo más tranquilos y sonriendo. ¿Podía ser que no lo oyeran? ¡Santo Cielo! ¡No, no! ¡Lo oían, lo sospechaban, lo *sabían*! ¡Se burlaban de mi horror! Eso pensé y eso sigo pensando. ¡Pero era preferible cualquier cosa antes que aquella agonía! ¡Cualquier cosa sería mejor que ese escarnio! ¡Ya no podía soportar esas sonrisas hipócritas! Comprendí que me ponía a gritar o me moría, y entonces, ¡otra vez!... ¡Escúchenlo, más fuerte, más fuerte, *fuertísimo*!

-¡Malvados! -grité-. ¡No disimulen más! ¡Admito los hechos! ¡Levanten las tablas del piso! ¡Aquí, aquí! ¡Son los latidos de su horrible corazón!

COMENTARIOS

En los relatos de misterio se narran hechos difíciles de entender, perturbaciones inexplicables que desubican mentalmente o comportamientos que hacen sospechar el influjo de fuerzas ocultas.

En general, tales fenómenos irrumpen dentro de la regularidad; alteran inesperadamente un orden cotidiano.

En este tipo de cuentos, el *narrador* es determinante pues a través de él los límites entre lo normal y lo extraordinario serán cuestionados. Y es interesante ver la relación que establece con el lector para hacerlo estremecer con su propia inseguridad y tentarlo a aceptar lo inexplicable.

Esta antología reúne diversos tipos de misterio. Son cuentos en los que la representación de lo extraño inesperado adopta diferentes formas:

-alucinaciones y una sugestión exagerada, en *El hombre y la víbora*

-fantasmas y aparecidos, en La *Narración sobre el fantasma de una mano* y *El Monte de las Ánimas*

-los designios inescrutables de la naturaleza, en *El huésped ambicioso*

-la ansiedad de una conciencia hipersensible, en *El corazón delator*

El hombre y la víbora *de Ambrose Bierce*
Traducción de Eleonora Sam

Inmediatamente debajo del título del cuento figura una cita referida al poder hipnótico de las víboras; a partir de allí el relato se organiza en cuatro partes. El narrador, en tercera persona, nos va revelando la transformación del personaje Harker Brayton, desde un inicio apacible en su habitación, cuando lee la cita antes mencionada... -la cual rechaza como vulgar superstición-, al no tan cómodo momento en que la sombra amenazante y los ojos luminosos de la víbora absorben totalmente su atención... En la segunda parte el narrador se aleja del lugar, dando una visión general de la vivienda, y explicando por qué era factible que hubiera víboras sueltas.

Luego, se acerca nuevamente al personaje, casi se superpone a su visión y nos revela la sorpresa y los pensamientos de Brayton ante la presencia de la víbora. Su comportamiento hace pensar que está bajo el dominio de fuerzas ajenas a su voluntad.

Finalmente, la explicación de los hechos puesta en boca de un personaje, que además es científico, nos instala frente a la pregunta: ¿Qué le pasó verdaderamente a Brayton?

Es cuestión del lector enfrentarse al misterio.

Narración sobre el fantasma de una mano *de Sheridan Le Fanu*
Traducción de Eleonora Sam

En este relato, la curiosidad y el suspenso se incrementan a medida que la intromisión fantasmal se transforma de un simple "llamado a la puerta" a un efectivo peligro en el seno de la familia, puertas adentro.

Como lo hace cualquier contador de esta clase de historias, el narrador se cuestiona la veracidad del caso. Aclara que estaba seguro de que la vieja Sally creía lo que decía, pero no por eso sus palabras dejarían de considerarse "cuento de invierno", donde cada uno agrega sus impresiones. "De todos modos, no por nada se decía que la casa estaba embrujada", asegura el narrador. A partir de ahí apoya su historia en la exposición que de los misteriosos sucesos hace Rebecca Chattesworth en su carta de 1753. Por desacuerdo con el editor -aduce el narrador- no transcribe la carta sino que se conforma con "breves anotaciones sobre su contenido".

Basándose en detalles de la increíble historia que cuenta Rebecca Chatterworth en su carta, el narrador se detiene en el paulatino y espeluznante acecho de unos extraños llamados a la puerta, cuyo autor no se lograba descubrir y cuya amenaza va en aumento cuando todos comprenden que esos llamados ya no están en el exterior sino dentro de la casa. Luego vienen las pesadillas, la esposa en trance de muerte, la extraña enfermedad de uno de los niños... Cuando el narrador juzga suficiente lo anotado, sólo agrega que en 1819, en la Universidad, conoció a un Sr. Prosser, (primo de James Prosser, el niño aquel que estuviera tan enfermo en la casa de Las Tejas) quien le aseguró que su primo James vivió siempre atormentado por pesadillas.

El narrador usa alternativamente pruebas que confirman la veracidad de los hechos con una permanente puesta en duda de la historia, con lo cual compromete al lector a tomar posición.

El Monte de las Ánimas de Gustavo A. Bécquer

Muy impresionado, súbitamente despierto por el tañer de las campanas en la noche de Difuntos, el narrador escribe una estremecedora leyenda que tiempo atrás oyera en Soria y la ofrece a los lectores.

Y en cuatro partes, da cuenta de los extraños sucesos ocurridos en una sola noche:

En la primera, relata el final de una cacería de lobos emprendida por unos condes y sus jóvenes hijos en las nieves del Moncayo, en vísperas de la noche de Difuntos. Durante el regreso, el joven Alonso le cuenta a Beatriz una tradicional leyenda del lugar.

En la segunda parte, el grupo reunido alrededor de la mesa familiar se entretiene contando "cuentos de miedo", a propósito de la noche de Difuntos. Apartados, conversan Alonso y Beatriz, y ella incita a su primo para que vaya al Monte de las Ánimas a buscar la banda azul que quería regalarle y que había perdido esa tarde durante la cacería.

Se ha creado así una atmósfera de ansiedad y misterio que culmina en la tercera parte. A medianoche, Beatriz espera impaciente el regreso de Alonso, pero en lugar de su primo, una a una se oyen abrir las puertas dando paso a una presencia extraña. Cuando vienen los sirvientes a anunciar a Beatriz la muerte de Alonso, ella ya estaba muerta de horror.

Finalmente, el narrador refiere un hecho que no se sabe cuándo sucede, apropiándose de lo que repite la gente: "dicen que un cazador, antes de morir, alcanzó a contar que durante la noche de Difuntos...", con lo cual confirma que los espeluznantes casos que cuenta la leyenda se reproducen una y otra vez.

El huésped ambicioso de Nathaniel Hawthorne
Traducción de Flavio Epstein

La historia plantea el hecho de que la ambición humana excede los límites de una vida y que ciertas esperanzas difícilmente se realizan. Lo hace a través de un estremecedor contraste entre las elevadas expectativas de un joven y los planes inescrutables de la Naturaleza.

Todo lo narrado pertenece a lo natural, pero se deja entrever que en el mundo humano hay un orden de cosas que no se pueden prever, y son los designios de la Naturaleza. La avalancha de la montaña, sepultando todo, crea un efecto único. Las esperanzas expuestas con tanto ardor y vivacidad por el joven huésped y cada uno de los miembros de la familia se ven abruptamente interrumpidas.

El narrador omnisciente recrea la conversación familiar y el clima especial previo a la catástrofe, y reconoce haberse valido de testimonios directos de gente que conoció la historia. El efecto de misterio está dado por la confrontación del orden de lo humano y los impredecibles planes de la Naturaleza.

El corazón delator *de Edgar A. Poe*

Traducción de Flavio Epstein

En este cuento, narrador y personaje se superponen, y vemos qué efectiva resulta esta visión única a los fines de crear esa inquietud ante lo extraordinario.

El ritmo del cuento -narrado en primera persona-, las revelaciones del personaje, la minuciosidad de su relato, van ganando el ánimo del lector al punto de absorberlo totalmente y de implicarlo hasta lograr el impacto final. Lo que cuenta es tan vívido y detallado que cada vez que se lo lee, los hechos parecen volver a suceder, y la ansiedad trasmitida proviene de que el miedo del narrador coincide con el de la víctima y se contagia al lector.

Quien cuenta es un joven que no puede soportar más el "ojo de buitre" del viejo con quien vive, (tenía un ojo velado por una membrana y cada vez que el viejo lo miraba, se le helaba la sangre); entonces, decide matarlo. De ahí en más, sólo bastará verlo hacer...

APUNTES BIOGRÁFICOS

Ambrose Bierce (1842-1914)

El hombre y la víbora

Nació en Horse Cave Creek, Ohio, EE.UU., en una humilde familia de puritanos. Asistió un año al Instituto Militar de Kentucky y participó en la guerra civil de su país, la Guerra de Secesión, cuando apenas tenía diecinueve años. Posteriormente, restablecida la paz, trabajó como periodista, dibujante y escritor de artículos político-satíricos en periódicos de San Francisco y su mirada crítica y desencantada se hizo muy popular.

Desde 1897 a 1909 estuvo en Washington como corresponsal de importantes periódicos. En 1913 regresó a California, y de ahí a México, donde desapareció, supuestamente asesinado durante la Revolución Mexicana, cuya figura sobresaliente fue Pancho Villa.

Fueron su especialidad los relatos breves, con temas de horror y misterio. Éstos aparecieron principalmente en su volumen *Cuentos de soldados y civiles* (1891), al que pertenece *El hombre y la víbora.*

Otras obras reconocidas son: *¿Puede ocurrir esto?* (1883) y *El diccionario del diablo* (1906).

Sheridan Le Fanu (1814-1873)

Narración sobre el fantasma de una mano

Nació en Dublín, el 28 de agosto de 1814 y murió en esa misma ciudad el 7 de febrero de 1873.

Fue educado en el Trinity College de Dublín. Se dedicó algún tiempo al ejercicio de la jurisprudencia, pero pronto se abocó por completo a la actividad literaria, al colaborar en el

Dublin University Magazine del que con el tiempo llegó a ser director.

Sheridan Le Fanu es un maestro del relato de misterio y horror, continuador de la novela "gótica", para lo cual se sirvió en parte del material legendario propio de Irlanda. Su novela *El misterioso tío Silas*, publicada en 1864, es la más renombrada. En 1872 aparece una colección de sus cuentos bajo el título *In a glass darkly*, en la que su técnica sobresale por el desarrollo gradual y sugestivo de la atmósfera escalofriante y la persuasión con que logra insertarla en la vida de todos los días.

La ***Narración del fantasma de una mano*** forma parte de la novela *The House by the Churchyard* aparecida en 1863, que junto con *El misterioso tío Silas* constituyen sus dos principales novelas.

Gustavo Adolfo Bécquer (1836-1870)

El Monte de las Ánimas

Su verdadero nombre era Gustavo Adolfo Domínguez Bastida. Gran poeta lírico español, nació en Sevilla el 17 de Febrero de 1836 y murió en Madrid el 22 de diciembre de 1870. Quedó huérfano siendo muy niño y creció al cuidado de su madrina, quien lo envió al Colegio de San Telmo. Era sumamente retraído y pasaba largas horas leyendo. De una profunda sensibilidad, también le gustaban la música y la pintura, amaba la naturaleza y el arte y todo esto fue dejando huellas en su espíritu.

En 1854 fue a Madrid en busca de un ambiente más propicio para la creación literaria. Allí, como medio de vida y a pesar de su salud precaria, publicó artículos en periódicos y revistas e hizo numerosas traducciones. Colaboró en *El Contemporáneo*, y también *El Mundo* publicó algunas de sus prosas.

Más tarde, en 1861, se casó con Casta Esteban Navarro, hija del médico que lo atendía. Con ella tuvo tres hijos a los que el poeta adoraba.

A pesar de su corta vida, sus producciones lo colocaron entre los primeros líricos españoles. Además de sus *Rimas* y *Leyendas*, publicó *Cartas desde mi celda*, *Cartas a una mujer* y muchos cuentos y leyendas. *El Monte de las Ánimas* integra el volumen de *Leyendas*.

Nathaniel Hawthorne (1804-1864)

El huésped ambicioso

Nació en la aldea de Salem, Massachussets, en el seno de una familia puritana, el 4 de julio de 1804 y murió en Concord, el 19 de Mayo de 1864. Quedó huérfano de padre a los cuatro años. Con el tiempo resultó ser muy retraído, en parte por la educación rígida recibida y en parte por una cojera producida jugando al béisbol.

Estudió en la principal escuela de Boston, el Bowdoin College, donde tuvo por condiscípulos al gran poeta Longfellow y a Franklin Pierce, quien sería futuro presidente de los Estados Unidos. Fue amigo de Herman Melville y de Ralph Waldo Emerson.

Logró gran reputación con sus colaboraciones en el *New England Magazine* y en *The Token*. Vivió durante un tiempo en Brook Farm, especie de comunidad agrícola socialista, que le proporcionó abundante material para su creación literaria. Se casó en 1842 con Sophia Peabody con quien tuvo hijos. Fue funcionario aduanero y cónsul estadounidense en Liverpool, Gran Bretaña.

Su cosmovisión refleja el conflicto entre las supersticiones y la libertad de conciencia. Entre sus obras figuran: *The scarlet letter* (1850), *The house of seven gables* (1851), *A Wonder Book* (1852) y *Tanglewood Tales* (1853).

El cuento **El huésped ambicioso** pertenece al libro *Historias dos veces contadas (Twice-told tales)*. Se trata de una serie de cuentos, cuya primera publicación fue en 1837 y que luego fuera aumentada en 1842 y en 1851.

Estos cuentos reflejan cabalmente su concepción del mundo

y su inigualable arte para contar historias. Hawthorne alterna magistralmente el punto de vista del narrador omnisciente con cierto criterio testimonial.

Edgar Allan Poe (1809-1849)

El corazón delator
Nació en Boston, Massachussets, en enero de 1809 y murió en Baltimore en 1849.

Era el segundo hijo de una pareja de actores ambulantes. El padre abandonó a la familia cuando el niño tenía tres años, motivo por el cual la madre debió hacerse cargo de sus hijos. Ella murió de tuberculosis poco tiempo después; el niño asistió a su enfermedad, lo que afectó notablemente su posterior visión de la realidad. A la muerte de la madre, él y sus hermanos fueron criados por John Allan, un rico hacendado de Richmond, Virginia, de quien Edgar tomó su apellido.

El joven Poe estudió griego y latín, dominaba el francés y entre sus lecturas favoritas estuvieron Defoe, Shelley, Byron y Colleridge. Se interesó vivamente por las literaturas orientales y las corrientes irracionalistas de su tiempo -espiritismo, mesmerismo, teosofía, etc.

Entre 1815 y 1820 vivió en el extranjero con Allan y estudió en importantes escuelas de Inglaterra y Escocia. Luego volvió a Richmond.

En 1826 entró en la Universidad de Virginia. Tras una riña con Allan, Poe se fue a vivir a Boston. Allí publicó *Tamerlane* (1827). Ingresó al ejército como medio de vida, pero pronto fue expulsado.

En 1832 fue a Baltimore y ganó un importante premio con su *Manuscrito hallado en una botella* (1833) y obtuvo un puesto en la redacción del *Southern Literary Messenger*. Su creciente melancolía lo llevó a beber excesivamente.

Se casó en 1836 con su prima Virginia Clemm de 14 años; en 1844 la pareja se instaló en Nueva York y en 1847 la joven murió de tuberculosis.

Entre sus obras figuran *La narración de Arthur Gordon Pym* (1838) -novela-, *Cuentos* y *El cuervo y otros poemas* (1845). Sus colecciones de cuentos han sido editadas multitud de veces por diferentes editoriales, y el cuento ***El corazón delator*** aparece en casi todas. Charles Baudelaire lo tradujo al francés y contribuyó a su merecida popularidad.

Índice

El hombre y la víbora *Ambrose Bierce* —— 3

Narración sobre el fantasma de
una mano *Sheridan Le Fanu* —— 14

El Monte de las Ánimas *G. A. Bécquer* —— 27

El huésped ambicioso *Nathaniel Hawthorne* —— 39

El corazón delator *Edgar Allan Poe* —— 53

Comentarios —— 61

Apuntes biográficos —— 66

Esta edición se terminó de imprimir en mayo de 1998, en Indugraf S.A., Loria 2251, Buenos Aires.